U0753102

北京古籍叢書

[清] 麟慶 著文　[清] 汪春泉 等 繪圖

鴻雪因緣圖記

第五册

圖書在版編目（CIP）數據

鴻雪因緣圖記．第五册 /（清）麟慶著文；（清）汪春泉等繪圖．— 北京：北京出版社，2018.2

（北京古籍叢書）

ISBN 978-7-200-13577-0

Ⅰ．①鴻… Ⅱ．①麟… ②汪… Ⅲ．①古典散文—散文集—中國—清代 Ⅳ．① I264.9

中國版本圖書館 CIP 數據核字（2017）第 282320 號

項目策劃：安　東　　項目統籌：許　可

責任編輯：喬天一　許　可　　責任印製：宋　超

裝幀設計：郭　宇

北京古籍叢書

鴻雪因緣圖記

第五册

［清］麟慶　著文

［清］汪春泉　等　繪圖

出　版　北京出版集團公司

北京出版社

地　址　北京北三環中路六號

郵　編　一〇〇一二〇

網　址　www.bph.com.cn

總發行　北京出版集團公司

經　銷　新華書店

印　刷　北京京華虎彩印刷公司

開　本　八八〇毫米×一二三〇毫米　三十二

印　張　十一

字　數　一三五千字

版　次　二〇一八年二月第一版

印　次　二〇一八年二月第一次印刷

書號　ISBN 978-7-200-13577-0

定價　98.00 圓

如有印裝質量問題，由本社負責調换

質量監督電話　010-58572393

鴻雪因緣圖記三冊序

且夫草木賁若，讀爾雅而益其新奇；山川漠然，玩輿圖而驚其詭異。當其松蘿畢貫，魚鳥去懷，縱躡勝遊，易成陳迹。莫不斂襟抽韻，瑞牘振思，欲緣筆底之烟霞，還

我胸中之雲夢。而況性耽風雅，職任經綸，深歷於封疆，寓遨遊於嶽瀆者乎。此

河帥見亭先生鴻雪因緣之所由作也。先生鯉庭受訓，鳳藻呈才，指明月為前身，應福星而度世。一麾

出守，五馬專城，烟雲寫向日襟懷，珠玉落隨風咳唾。證有因之果，結無盡之緣。非所稱氣助江山，望隆朝野者歟。觀夫使星天上，卿月人間，雲車風馬之馳驅，海澨山陬之閱歷，纔資綏靖，復任旬宣，或亘海而籌宜，或環河而度要，以韋平經畧，發慝許文章，此固因緣之可記者也。而且軫念棲苴，勞思集木，憫牂羊之墳首，謷澤鴻之哀嗸，洞悉輿情，隱憂民瘼，形諸吟咏，被以歌謠。白公樂府之篇，可稱詩史；元結舂陵之作，實為蒼生，此尤因緣之可記者也。然使經猷志切，騷雅情違，將伯施五絕，未全，亦然夜一行遂廢。而先生則大江南北，全浙東西，鼓棹揚帆，探梅問柳。一筇拄綠，雙屐梯雲。攀藤蘿而入深，押麋鹿而忘返。

或效興公作賦。或為靈運登山。覽太室、伊闕之瑰奇，具梁苑、風陵之勝槩。此又因緣之可記者也。夫衣冠紀盛，蕭遘則八葉八圖；著作蜚英，玉筍則一官一集。以視斯之縈青繚白，抽秘騁妍，固已古今一轍，先後同撰也已。覽者欣然讀畫，緬彼丹青，率爾引喤，殊慚淵雅。披來舊幀，心儀昔日之遊觀；綜厥前蹤，聊誌一時之仰企云爾。

道光己酉五月中浣廣陽但明倫謹序

但明倫印

雲湖

序

事之因緣，多由前定，久則遂成鴻雪，此達觀者視富貴皆空之說也。雖然，鴻雪雖暫，鴻雪而繪以圖記，則暫者亦久矣。

長白麟見亭先生，勳名學問，朝野推尊，士民悦服。嘗繪其自幼至四十歲為圖一卷，曰初集，祁春圃相國、郎蘇門方伯及太傅兄序之。自四十至五十歲爲圖一卷，曰二集，趙蘭友觀察、金瀛仙司馬、龔宜葊舍人序之，此皆可謂之緣耳。自五十至五十五歲爲圖一卷，曰三集，嗣君樸山、地山兩孝廉屬予序言，以予與先生大有因緣，相侍日久，非泛交者所可比。憶昔予在淞江，先生侍養讀書，此初識之因緣也。予游日下，先生槖筆簪花，此繼見之因緣也。予從袁江，先生持節安瀾，此終晤之因緣也。予與先生不得謂之無緣，而且上有緣於泰安云，下有緣於兩孝廉，洵所謂世有因緣，行將千禩也。嗟乎，人事不齊，天心無定，使假年用世，霖雨寰區，定當繪補袞之圖，成懸弧之志矣，鴻雪云乎哉。即此一編，尋覽三復，謂為先生之年譜也可，謂為先生之卧遊記也亦可。

道光二十九年秋八月世敎弟阮亨謹撰

洄雪醫總圖訣

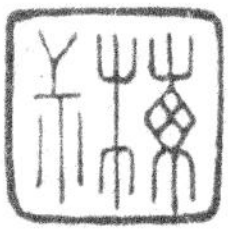

鴻雪因緣第三集序

夫寄通川嶽，行旅不乏翰能；投跡都郊，徂夫每奏篇伎。故平原赴洛，長林振其遐思；應瑒陟芒，若華彂其妍唱。子建函京之作，客兒石門之篇，莫不竹素騰華，山河表色。然而搜奇索勝，祇蕩雪乎人靈，登高臨深，非軒鬓乎帝載。有謝皇華之詠，未同英蕩之持。詎足雕繢風雲，命名草木。我

見亭夫子，以鈎河摘洛之手，翊

堯醲舜薰之化，以動知靜仁之量，暢模山範水之情。早入承明，齊五鳳於南省；壯榮外團，冠千騎於東方。彼荀美弱冠之英聲，鄧禹上年之偉績，業已彪著豪牘，輝暎繼圖。而殊尤絕迹，與羲娥而並增；揚光飛文，偕章亥而日遠。則又絪緼國牒，太史不勝書；衍溢民聽，黔首莫能記。讀泉明自輯之譜，與探微續繢之圖，餘烈在人，可一二述焉。今夫積扶寸為方丈，此焠丁之斂乜而驚也。鑿坳塘為天池，又海若之望洋而歎也。

夫子精應黃靈，學通白澤，瑤源內濬，膚功外昭。典司空治水之官，効都尉行河之績。當其金隄駐節，石翣搗流，卧壯卧南，捺桅花以滉柱；九星九坎，溉棗野為神腴。支祈縶而蠏堁宜禾，馮夷切而鴻陂媚

帝。豈直澹災浚利，民稱右史之渠，抑且風流合行，人實薛公之樹。蓋其吁荼萬物，阜牢羣態。闢學館於清東，蔭暍人於周道。延壽輯管絃鐘鼓，髦俊興仁；公孫散牛犢雞豬，羣黎飽惠。八百除吏，臺皂之內無遺賢；三萬

緩租，飢毀之年無溝瘠。雖侯霸愛民，淮孺合踵，南陽佩德，名父騰謠，揆厥風徽，莫與比似。於是宣房多暇，游楫方滋，懷蜀客於黃樓，弔楚纍於青社。聆鏗鯨於葭浦，感迷鹿於荒莊。耳目所構，咸弃之藥籠；政術所留，畫載之油素。槃槃乎，洸洸乎，製已可觀矣。若乃飛兔腰褭，不御之越海，無以知千里之能；干將青萍，不試之剸鐘，無以窺萬灌之妙。方

夫子旗擁上游之日，屬烽傳瀕海之秋。蚩霧宵昏，孫

仙畫虛。覽戈船之耀月，駭羽檄之流星。
天子倚道濟為長城，知征西有武庫。許汲黯以便宜從事，
命陶侃為諸將首盟。而時則風鶴回皇，泉鵝紛阻。白
丸競擲，狐祠之盜烟飛；鐵籠潛奔，雁户之氓雨渙。滄
市糧騰踊，抗計直於隨珠；估穀居奇，呑轉輸若暉鼎。
嗷〻者溢路，適〻者填衢。
夫子乃手握牙璋，心運籌筴。謂捍外必先撫內，植良
要在除奸。奮張敞鋤寇之威，為葉公安民之策，勤應

龍勸耀之諭，為元綱濟時之謀。以故內叶戎昭，外弭敲患，機舂無恙，飄落不驚。至今江淮之間，歌頌弗置。無何，台星小謫，天馬徵還，截鐙持韉，人思借寇；維驂滕爵，士競追表。

夫子亦雪涕登程，留鞭示意。遂乃言旋日下，頗懷誓墓之心；散賞林間，自著歸田之錄。伯颺仲朏，宏徹以風月名兒；水二竹三，野鶴以林泉帀屋。踤沈慶之小駟，樵步烟尋；負蘇公之大瓢，魚餐星酌。有松石閒意，可以琴言；作濠濮上觀，可以鏡悟。幾歆收華養素，悅此桑榆；朝游夕休，終焉畎壑矣。尔乃臣衷水澹，皇眷波深，思賈讓之多材，將賛皇之復用。會河東水決，天子命大臣督工，以公襄事焉。於是更載轉章，益勤薪負竹頭木屑，儲胥靡遺，沈玉搴茭，勞勳懋著。事竣，上嘉其勤，復有庫倫之使。庫倫者，老上龍庭，渟維庸落，俄羅斯之寄徑，恪克圖之通門。

國家亭毒九圍，維婁八表。取大宛之母寡，質雕庫之賢王。凡屬氈裘，俱歸蘿版。且夫築三受降城，有唐所以控沙幕，置五屬國府，炎漢所以扼邊維。我
朝彈壓天驕，亦資都護，撫綏甌脫，並重行人。
夫子以介子淫威，兼翁孫智略，果使秉槎宿海，弭節金城，則身熱頭痛之鄉，尸逐骨都之部，亮靡不舞天膜拜，依漢若撐犁；嗅地請盟，奉使如樸父。詎必增庚戌之土斷，嚴戊己之防秋，而自銀鶻不飛，金鵝競獻

矣。尋以伏波多疾，詔止乘邊，充國就衰，恩留在内，恣其休沐，假以由敖，此又不次之寵隆，尸臣之殊遇也。於是貂蟬高庋，魚鳥自怡，紅藥吟晨，紫荷醉晚。抛手板，望西山之爽氣；撤罘罳，受壯牖之清風。乃復躡謝屐，窮煙蘿，乘陶輿，展巫域，訪道赤芝之谷，叩禪青豆之房。田父引爲新賓，山靈如其舊識。苟非凝情區外，澡練神明，洞志真如，脱離染着者，曷足與於是乎。蓋夫子夙精二乘，妙解三塗，凡厥因緣，空諸泥爪。故能寵貴不溺，終無累於蠅黏，語言所流，若有通於獅吼。即觀指喻，可悟心藏。肇增以馬帳之後生，躡祖庭之餘景，謹瞻日月，敢贊春秋。祇以二陸稱先，啓納楹之鉅製，雙馮述德，刊藏甕之遺文。命續鰕生，代宣夔拊。所慨靈光既靡，徒結想於龍門，懸知副墨所傳，當備徵於席觀。

受業甘泉李肇增謹譔

凝香室鴻雪因緣圖記目錄

長白麟　慶見亭氏著

第三集上册

康山拂禊　卸肩集句

江北督師　汎舟安内

中河移塘　竹舫息影

袁浦留帆　微湖説泇

分水觀汶　臨清社火

津門競渡　金鼇歸里

半畝營園　雙仙賀厦

賜塋來象　仙橋敷土

架松卜吉　詩龕敘姻

戒臺玩松　猗玕流觴

見亭先生五十三歲小象

賀世魁恭繪

卓哉我公气宇絶然武畧
内韞文德外宣溺拯億庶
軌順百川藻翔翠羽光炳
龍泉披一品衣息萬慮緣
胷羅星斗癖痼雲煙是人
中傑是大羅僊卓哉我公
世皆曰賢

方外莊栩恭贊

小照自題

最大海水，最好家山。持節防堵，著屐遊觀。撫三尺劍以寄志，披一品衣而息肩。惟疊荷恩施之渥，故載邀山水之緣。

蚌佛紀緣

蚌佛紀緣

道光二十有一年，歲次辛丑，麟慶年五十一歲，任江南河道總督。先是，庚子春，在署江督時，夢石公山神，詒以海氛不靖。爰命僧了璞為神立像石隱菴臨江閣上，至是落成，將有事於山祠。適先立春三日，黃生雙允（名斌，江蘇人，曾官通判。）獻巨蟹八，云：清江有蟹熟蝦荒之諺，向以大閘先出者為斷，今得此，實豐登兆。余忻然。一客云：蟹，介蟲也，先春出，於古占為兵象。余又憬然。起節過甓社湖玩珠亭，名伯鎮斗野亭，放舟鳳凰橋而下，橋長六十丈，為洩水入江所。適幕客江啟同來，贈蚌佛一，云名伯湖漁人拾得。余諦觀之，蚌殼一扇，徑四寸許，佛像凸起於中，作跏趺狀，眉目口耳手足衣紋畢具，袒胸皤腹，腹嵌一珠若臍然，旁綴小珠六，纍纍如貫。按文蛤一潮生一暈，水氣使然。待月而生，故不惟珠胎與月盈虧，亦往往結成異相。然自古及今，亦僅隋文帝、張宗孟等數事，載在酉陽雜俎諸書，此外不少概見，則得之亦云幸矣。比抵石公山，示了璞，以為奇緣，請伐檀為海水龕。楊生蜨菴（名榮，江蘇生員。）見而作記，了璞并題一詞，調寄法曲獻仙音，曰：

堯舜堪為，佛心同具，秖在當人存養。圓明顆顆，中現如來慈像。誰信吸月陰精，具體川源上。閒思想，凡人生嘉祥珍瑞，感奇緣，總是隨人德望。大帥放靈鼉，諸水族頻霑恩貺。澤被河湖，東軒錄事如影響。試據古憑今，何幸得親瞻仰。

黃樓拜蘇

黃樓拜蘇

黃樓在徐州府。宋熙寧十年，蘇子瞻先生守徐時，河決澶淵，水圍徐城，比退，以工防餘力築樓東門上，堊以黃土，取土能勝水義，黃，土色，即以名之。適子由先生來，邀客觴咏其上。子由及秦少游各為賦，陳師道為銘，後之人不忘先生功德，兼慕友愛意，肖兩先生像，祀樓中。越今七百餘年，屢圮屢葺，現在城上東北隅，雖未必是其故處，而乾隆二十二年，

翠華臨幸，命覆以黃瓦，樓名益重。余每歲巡河，經歷其下，

祇以馳驅鞅掌，未克一登。庚子秋，老友黃蒙莊（名定齊，浙江，拔貢，余官豫藩時，延司金穀。）館於徐，因言樓漸損缺，碑多剝蝕，盍新之。爰捐廉為倡。黃瀛帆、（名世銘，湖南，進士。）陳敬亭（名潞，浙江，監生。）二太守，各輸資相助，委蔡尉鴻恩（湖北，監生。）督工。辛丑二月告竣。比余防工至徐，偕毓星甫、（名衡，滿洲，監生。）沈臨川（名鵬，直隸，監生。）二觀察，邀諸客落成觴咏，亦各盡歡。余幼讀先生詩古文詞，時深竊比之思。今迺得葺斯樓，亦宦塵中一幸事也。又，燕子樓為唐張建封妾關盼盼所居，峻節清風，古今無兩，相傳在城上西南隅。余宴罷往訪，至則見野草芊綿，春風澹蕩，歎芳踪之難再，睹荒址之依然。雖亦未必是其故處，而樓以人重，且正艮坤相向，合並傳矣。又，城内有美人巷，亦因盼盼得名。

夢莊

述異

夢莊述異

夢莊在阜寧縣小尖集，地濱東海，斥鹵多風。辛丑閏三月，余查海禁，由響水口南行數十里，寂無人跡，蔓草著霧，尚結霜花，故諺有之曰：清明不斷雪，穀雨不斷霜也。忽見瓦房草樓，掩映綠樹中，圍以深溝小橋，有汛弁踞請過橋。則見門起重簷，墻分八字，儼然巨第。異之，問何所，曰夢莊。入門，引東行，過菜畦，流水一灣，紅橋半欹。橋左編籬為垣，其中三徑就荒，而花木繁薈。堂額夢莊，鐵冶亭制府名保，滿洲，進士，官兩江總督。手書也。并有記，讀知主人徐姓，字麟友，少孤貧，性仁厚，偶遇二童挽一木牛，上臥老人極憔悴，自言渡海遭難者。麟友憫之，止宿設糜者數日，老人始出青蚨售鹽米。又月餘，忽謂麟友曰：子厚德人也，明辰當設席相別，盍早來。麟友唯唯。翌日，甫起，黑衣童至曰：先生待久矣。促同行，竟入一大門，至內室，麟友愕然。忽黃衣童出曰：先生在園相候。引至園，老人出肅客。入門，院落一新，登堂，鋪陳華麗。麟友益愕然。老人命先引至浴室，浴罷復出，讓坐行酒，供饌豐腆。二童則鶯歌燕舞，音節入妙。老人忽手一圖，曰：此子之居。又手一袋，曰：贈子，爲置灘地費。麟友心了然而口訥然，遂頽然卧。比醒，止一院荒草，兩間破屋而已。麟友倍愕然。幸圖與袋在，謹遵老人教，盡收海灘地。不數年，會河決馬港口，淤作膏腴産，富甲一郡。因倩匠作，如圖爲園宅，並納粟官觀察。海上人至今豔稱。事實境幻，莊題曰夢，固宜。

瀛壖雜誌匯言

葦

營合操

葦營合操

葦蕩營，坐落海州安東、阜寧二縣海濱灘地上。左營在潮河兩岸，右營在黃河南北。康熙三十八年，河督于襄勤公（名成龍，漢軍，廕生，卒祀賢良祠。）題建樵兵之外，額設馬兵，掌以守備，統以參將，葢於籌備工料之餘，隱寓防護海疆之意。後廢。雍正四年，齊懿勤公（名蘇勒，滿洲人，卒晉太傅，建祠致祭。）題請復設，柴有定額。嘉慶間，議裁參將，歸海道轄，增正餘外餘柴束，霜後儘蕩搜採，然自道光元年來，迄未足額。余抵任親勘，左盈右絀，因設法築圩蓄水。至十八年後，始幸無虧，而兵

技則仍未暇講也。嗣因英夷內犯，浙洋兩營地處海濱，爰飭選兵團練，以備不虞。辛丑閏三月，巡防抵海安廳屬

龍王廟，登望海樓，訪絲網濵捕鱑釣鯑情形。守備談文貴、江蘇，行伍。張如玉、清河，行伍。各率所練兵勇，請閱。河標守備朱得志、山東，行伍，今晉遊擊。把總陳柏齡清河，行伍，今官守備。亦各帶水勇火軍齊集，張如玉又薦衛灘女教師吳四娘，莊姓，山東人。余面試之，雙刀短鎗，矯健軼倫，因厚賚錢米。其子鳳祥，亦善流星，並錄入伍。先是，有巨魚，牛頭獨角，於月之七日，阻口噴浪，水幾沒埽，兵

民震恐。會風雷大作，徙去。尋潮退，擁置青口灘上，為漁丁所獲。余聞而喜翦戮鯨鯢之有兆也，遣弁往取其角。會失去，乃攜腮骨二具歸，量曲長四尺餘，命置廟中，並

奏明為龍神請額焉。

洞雲医綸圖訓

抱孫銘喜

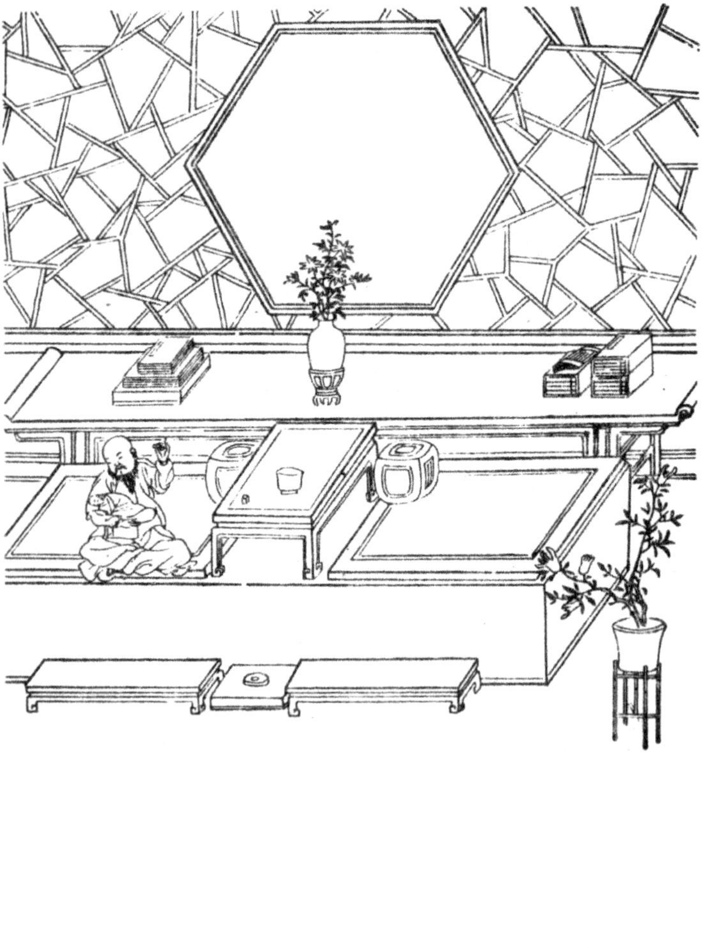

抱孫銘喜

辛丑秋八月初七日，戊子，長孫生，命名曰嵩祝，以其正值

聖壽節第一綵服期也。題乳名曰同，以其辛年戊子日元與余同也。喜占二截句曰：懸弧事業説當門，此日居然也抱孫。恰值先庚呼

萬歲，小臣初出沐

君恩。其一 吉日詩曾傳戊子，辛年誕降亦相同。書香繼起期繩武，乃祖從今又熱中。其二 一時屬和者，如琔印川榷使，名珠，滿洲人，今晋内府大臣。高朗岑儀部，名賜禮，河南人，己巳同榜

進士，時主雲龍書院。毛秋伯大令、名夢蘭，江蘇人，己巳同榜進士，時主奎文書院。蕭楳江學博，名文業，清河諸生。凡十餘人。朱春旉觀察贈玉章二，篆曰：繩其祖武，貽厥孫謀。祝立齋觀察名璩，順天，生員。贈古銅章，文曰：忠厚傳家。比彌月，徐篠漣司馬名琮，浙江，監生。送菊屏，黄問渠遊戎名永清，安徽，武舉。寄紅、白鸚鵡。迺陳花鳥，張筵宴客。幕友沈鳳巢即席賦詩曰：誕彌厥月報安瀾，露湛霜清八座歡。更有黄花香未老，大開笑口抱孫看。朱浣岳司馬名沆，順天，監生。亦即席以指濡墨，作太師少師圖相賀。先是，

詔舉賢員，麟慶謹以道員黎攀鏐、廣東，進士。朱襄安徽，進士。同知

晏曙東、雲南，舉人，後晉道員。何俊、安徽，進士，今晉道員。任為琦河南，進士，今晉知府。知縣唐汝明四川，舉人，今升同知。薦。乃甫越月，特簡朱襄為河東總督。是日來賀，送舊御繡衣以為襁褓焉。又，嵩祝，長媳阿哈覺羅氏出。媳峻齋阿卿名克明額，滿洲，生員，官上駟院卿，粵海關監督。之女也。

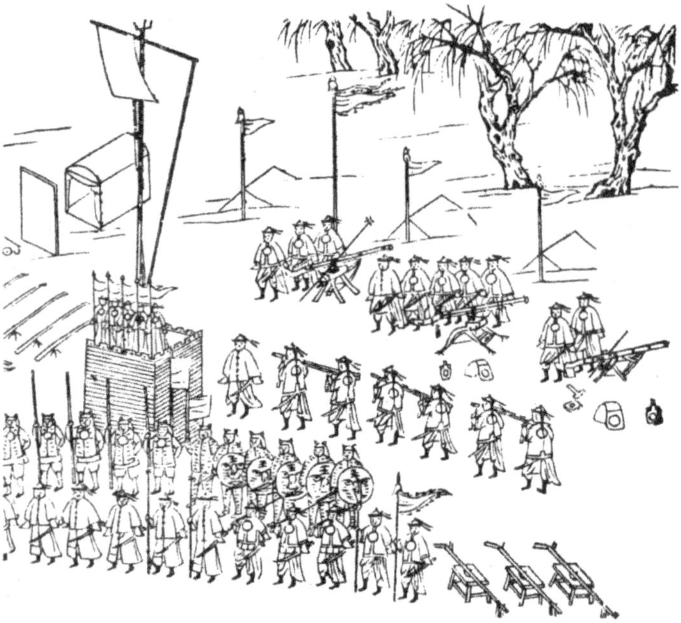

英勇請纓

英勇請纓

初，英夷之內犯也，恃其船堅礟利。羣議造大船、鑄巨礟以禦之。余竊以爲船非猝辦，且難與海上爭鋒。礟火之利在藥，藥之力在硝磺，硝主直，而磺主橫，合藥必硝居其七，方能致遠。況英夷有沙藤灰尚可代磺，硝則全產內地，因陳明

奏申私硝之禁，一面飭屬密拏，計共獲三萬七千餘斤。請奬出力員弁，署中軍副將呂邦治河南，行伍，時官遊擊。以統轄，僅請議敘得

旨：賞戴花翎。羣欽異數，咸思効用。先是，通飭各河營，選

兵團練，旗幟、器械、軍裝、口糧，均從優捐給。又選餘丁，年十六歲以下者為一隊，號曰英勇。時裕魯山名謙，蒙古，進士，卒謚靖節。以兩江總督充欽差大臣，在浙督兵，聞河勇名，馳書調用。余以河兵職司修防辭。魯山又

奏請飭代募鄉勇，余以勇名曰鄉，近可得守望之助，遠難收禦侮之功，況易聚難散，未便遠募。時浙撫劉玉坡名韻珂，山東，拔貢。亦以為言，得

旨：停募。八月，逆英陷定海、鎮海、寧波，魯山殉難。

上命尚書奕經宗室為揚威將軍，督兵進剿。行過清江，亦

欲調用河兵，余又辭。隨囑代選壯士，迺齊集在浦四百名內，簡練得二十人。英勇隊有張蟾者，年僅十三，能用雙刀、虎尾鞭，力請隨營殺賊。余壯之，同送將軍麾下。尋攻寧波城，先登陣歿一員沈萬忠，恩予雲騎尉職。以功得藍翎者二員：楊鎮華、薛舉。得六品頂戴者十三人，張蟾與焉。

豐蕭啟埂

豐蕭啟垻

蕭南廳界接河南虞城縣，豐北廳界接山東單縣，為江境黃河上游門戶。豐北六堡有嘉慶初
敕建大王廟。辛丑夏六月，河決河南祥符上汛三十二堡，水入洪澤湖。余聞信，即飛飭所屬次第放山盱智、信二壩，義、禮二河，高郵四壩，並
奏啟順清河吳城七堡清口替河，拆展東清禦黃二壩以減漲。尋又勘得于工尾亦可借用，隨劚堤宣洩，幸得安瀾。回空軍船亦即引由順清河南下。九月報竣，當有

旨，命大學士王鼎、陝西，進士。侍郎慧成滿洲，進士。赴豫督工，並
命麟慶委員緝口查災。謹選派通判婁晉、浙江，監生。守備李
本珠蕭縣，行伍。赴豫，隨林少穆制府名則徐，福建，進士，前兩廣總督，時在
大工差委。量長三百零三丈，並勘明下游五府二十三
州縣被災分數。當
奏言，以地利而論，潁州稍覺富饒，開、歸、陳均鮮蓋藏，
鳳、泗最瘠。以民情而論，開封夙最淳厚，歸、陳、泗漸
近剽悍，潁、鳳為尤。況水災猝不及防，尤非旱荒可
比，慮在青黃不接，應請以工代賑。得
旨允行。隨議先挑上游河道，委徐州道毓衡、遊擊盧永

盛等督挑。十一月初三日，祭
神插鍬，勒限五十日完工。旋准咨定臘月中旬放河，
趕卽親催，十四抵上交界，會督東河委員陸燕庭
太守名延禧，江蘇，諸生。啟除界埂，冒雪敲冰，試放清水，流
漸通順。燕庭返豫，詎上游引河不暢，直至壬寅正
月，水始入境。旋因祥工復開，陡落斷流，引河受淤，
乃甫議重挑，而二月八日又合龍矣。

洪雪匠綫匯言

安淮晚鐘

D

安淮晚鐘

龜山寺有宋鐵鐘，音聞百里，以故米南宮有晚鐘詩曰：龜山高聳接雲樓，撞月鐘聲吼鐵牛。一百八聲俱聽徹，夜行猶自不知休。歷元及明，人爭題咏。康熙間，湖漲寺沒，鐘及鐵佛俱淪於水。道光戊戌，余議重修，詳前集龜山問井記中。尋出鐵佛四，鐵羅漢二十。並泗得鐵獅一，長八尺五寸。鐵鑊一，圍二丈一尺，深三尺。鐵鐘一，圍一丈四尺，苔鏽斑剝，古篆漫漶，惟皇帝萬歲重臣千秋八大字可辨。己亥寺成，請額，適陳芝楣中丞先至，題楹帖云：佛法無邊，入水百年還出水，鐘聲依舊，臨淮千里更安淮。余即以安淮名之。阮雲臺相國為撰記，作隸書，樹碑寺前。壬寅正月二十三夜，余順風渡湖，不半刻即艤龜山。弦月映水，滉漾微明，忽聞鐘聲清越，靜數之，得一百八聲。因思素聞撞鐘之法，各省不同，河南云：前後三十六，中發三十六，共成一百八聲住。京師云：緊十八，緩十八，六遍湊成一百八。浙江云：前擊七，後擊八，中間十八徐徐發，更兼臨後擊三聲，三度共成一百八。數皆取法念珠，意在收心入定。蓋緣沙彌既絕婚宦之想，年少豈知慕道，祇以師傳若是，不得不然，使之習久相安，身心漸寂。即吾儒誠意正心之學，亦不外是。

澹雪医綫圖訂

盱眙望山

盱眙望山

盱眙縣寄治第一山，距龜山僅三十里。余在淮瀆廟薦馨畢，遥望湖南山，如屏列，翠出天半，乃命舟往。近見官舍民居，高下鱗次可數。加以綠煙綴樹，丹影飛空，更覺雕繢滿眼。始悟張目曰盱，舉目曰眙，縣之名，葢以山定也。然五嶽四鎮外，名山紛列，藐兹拳石，何稱第一。則緣宋時都汴，宦遊者自京南下，行千餘里，始見此山。米襄陽因錫嘉名，書而咏之，和者為司馬君實、范希文、歐陽永叔、蘇東坡諸人，山名益重。余泊船後，先登山頂，一覽全湖。

行過縣治，見士女奉香入署，輻輳如雲。異之，詢知署後有楚姑祠，祈禱靈應。署令吳石琴刺史（名秉中，廣東，貢生。）曾新祠宇，且以殿西向，門南向，將謀移易。會掘地得石碣，上鐫楚姑之墓，具載方向，乃不敢易，仍舊貫而加葺焉。相傳姑為楚義帝女，義帝被弒，姑年十四，自殺，楚人祀之。余按項王遷義帝郴，姑應隨往，何以建宇故都，豈預知逆謀而留是歟。顧或謂義帝之弒，由於漢高祖合謀黥布而假名於項，讀書者不能無疑。且以姑之孝烈，前史失載，豈漢之臣有所諱耶。卒之千百年後，英爽式憑，自有不可磨滅者在，固當與第一山並傳耳。

泉 挹 璃 玻

玻璃杷泉

玻璃泉，在盱眙第一山半

夫子廟後，秀巖下。昔人就石縫鑄鐵為龍首，泉自龍口噴出，下注於池，池圓中規，清見底，水滿作翡翠色，朗澈如玻璃。宋張文潛詩云：玻璃美酒舊知名。米元章詩：鑿破玻璃引碧泉。泉之名蓋甚古。其上有翠屏堂，陸務觀記之。又有起秀亭，歐陽永叔記之。今俱無攷。另建亭榭堂廡，為敬一書院。余於壬寅傳柑節後九日，偕夏蠊廬廣文（名翼朝，江蘇，舉人。）至泉上，俯鑑於水，既湛且瑩。仰望其山，不絢而畫。泉有亭覆，影映池水，正所謂簷牙倒影浸玻璃也。爰命左右，以所攜瓶盎就龍口承泉，煎霍山茶飲之。茶香泉冽，頓覺兩腋風生。遂相與循磴道盤折而上，觀古刻秀巖二字，筆法古勁，又觀第一山三字，奇秀遒逸。相傳原刻燬於火，閩中亦有米書此三字，乾隆初，郭復齋刺史（名起元，福建孝廉方正。）移摹置此。巖側有堂有榭，四壁滿嵌詩刻，與泰山環咏亭相似。此外卧石、柱石，宋元人題名殆遍。所惜石泐字畫淺，又命左右掬水沃之，字乃見。余按，山下出泉，正出曰檻，縣出曰沃，穴出曰氿，隨在皆有，况盱眙水鄉，更何取乎一勺。獨兹得米老題咏，蘇、梅繼和，而玻璃之名益著，則泉仍以人重耳。時書院半圮，邑紳方議重修，余因捐俸爲助，囑蠊廬觀厥成焉。

泌雪臣繪匯言

汪園問花

汪園問花

汪園在第一山東八里，為夢塘觀察（名云任，邑進士，時官山東糧道。）丙舍別墅。余聞陳鐵齋、夏蠊盧稱其勝，將往一遊。會大風雨，兩日夜不止，掩篷危坐，意謂遊宴之緣，亦有分限。廿七早晴，將移棹返，而風又不順。蠊廬來請作此行，王蓮舟太守、（名湘，安徽諸生。）蔡石渠遊戎（名天祿。）亦以為言，爰同往。仰而登山，俯而涉溪，每踰一山，又涉一溪，如是者凡數折，始至園門。則見倚山架楹，決泉成沼，臺榭庭宇，制作合度，不侈不陋。其鐵榦紅萼，橫斜穿插，蔽巖而抱閣者，梅三百樹也。蕭疏披拂，舞風梢雲，迸石而蔭檐者，竹萬竿也。雜卉名木，不可悉數。櫻桃更成茂林，聞花時翦絨錯繡，飛屑滿徑，惜未遇殷七七為開頃刻花，仰見笠山，矗峙東南，與第一山巒岫相延屬，環青縈翠，若為園樹作幃幄者。江北名園，允推第一。園主研雲（名云倬，邑諸生。）為夢塘介弟，余曾與夢塘一晤，茲復與研雲款洽，獨惜不得久留。既而夕陽在山，橫射樓臺，竹木間金碧照耀，四望若蓬萊，可接不可接，而余已返舟中矣。微風無浪，一帆正懸，夜過龜山，鐘聲依舊。黎明抵武家墩，驗船塢工。先是，石塢可禦高堰誌樁水二丈，近因連年異漲，半被冲圯，難抵風浪，余特捐金十有六鎰，囑黃蘭渠遊戎名佩加砌碎石修復之。

沅雪田絲圖言

普應譚相

普應譚相

普應寺，在清江浦節署西北，建自唐貞觀時，歷宋、元、明，屢有興廢。我朝嘉慶初，僅餘荒址。有智誠和尚者，自寶華山飛錫至此，發願斷臂，寺賴以興。再傳至旭亭，（法名震初）善述善繼，開堂傳戒，講演毗尼。先是，辛丑二月四日，内子程佳夫人卒於節署，命長子崇實等扶櫬歸里。至是星紀一周，余率兒女營齋於寺。時浙江雲棲寺方丈補雲、（法名與楷）揚州高明寺方丈德慈、（法名真演）焦山定慧寺方丈墨溪、（法名海蔭）象山石隱庵住持韞庵、法名了璞。九華山地藏寺住持几谷，法名明儉。各攜鉢具來會。尋水陸事畢，相與坐談三學。適有以緙絲十大明王像來質者，佛菩薩均變相青面赤髮，盆嘴獠牙，豎眉努目，或三首六臂，或四首八臂，臂各擎蓮花、鐘鈴、劍杵、鐲槊並日月輪火燄之屬，項挂骷髏，身著虎皮，脚踏天魔羅刹，牛鬼蛇神環伺左右，形狀奇怪，光彩陸離。旭亭、墨溪亟稱龍象莊嚴，洵是名山法物。几谷能畫，以為渲染合度，組織非凡。或有以醜惡為言者，韞庵能歷數内典以相證。德慈曰：六祖真訣，不離自性，一切法相，悉名幻妄。補雲曰：法未著法，相亦非相。余合掌曰：善。韞庵又進而言曰：佛家變相，正為中人說法。緣中人質可為善，失教則遷，故欲開以果報，必先怵以威嚴，庶因恐懼而生信心，則是面示以惡，正欲心歸於善，所以法相不可廢也。余起而和南曰：辨才。

湖雪匠緣圖訶

風虎弔古

風虎弔古

壬寅春二月，豫工合龍，挽黄歸故。余得報即往，巡至桃南，黄水已到，急湍甚箭。得詩曰：甫入桃源境，黄流已急湍。風沙春不斷，波浪晝生寒。審曲參新勢，量高問舊灘。巡行今九載，籌策倍知難。時天久不雨，麥色、柳煙，半為風沙所掩。行過睢南堤上，忽見桃花一株，灼灼蓁蓁，若得陽氣水色而獨厚者。又紀以詩曰：歲歲宣防早束裝，巡河今又到徐方。關心黄水增分寸，著眼青苗辨短長。霸業盡隨流水去，宦蹤還逐野雲忙。天公憐惜風塵客，特遣桃花作豔妝。晚抵風虎山，俗名峯泰山，下有石閘四，靳文襄公建。山腰有石滾壩二，黎襄勤公鑿。均為減黃助清用，今俱淤沒不可啟。山頂有館有祠，祠祀前明周忠武公及夫人劉氏。公諱遇吉，官山西寧武關總兵，闖賊之亂，闔門殉節。公及夫人均山下人，故祀於此。明史載錦州衛，蓋為寄籍所誤耳。因弔以詩曰：山勢鬱嵯峨，風聲走大河。祠堂遺像在，村落夕陽多。忠節揚前史，蒼涼起浩歌。英靈如不朽，長此奠洪波。翌午入徐城，宿春及堂。越日渡河，徑呂梁洪尖廟山曇雲寺行館，館俯短垣，遥見風虎雄踞南岸，綿拐山名横接東堤，時宿雨初收，山翠若沐。河心又有一山，狀若巨鯉，掉尾揚鬐，詢名鯉魚，所惜為採石人酷取剝膚矣，爰囑州牧禁之。

康山拂槎

康山拂槎

康山，在揚州新城内，前明正德間，康對山（名海，陝西，狀元。）曾寓居之，因以為名。堂額康山草堂，亭額數帆，皆董其昌書。臺額觀山，笪重光書。堂中有天然木根槎一，題曰流雲，趙宧光篆，董其昌、陳繼儒均有跋識。堂下東南隅，有連理辛夷一，相傳對山手植。乾隆初，江鶴亭方伯（名春）拓其地，三面穿池壘石，增植諸卉木，又聯堂左之觀音院，堂右之徐氏園為一。園與院故多古樹，每春夏時，濃陰密蔚，通以複道長廊，映以重樓邃室，遂成大觀，屢邀

睿賞，命載入古今圖書集成。四十五年，
高宗南巡，再蒞草堂，親臨董額，又頒
御書奇花。二月之中，遇古木千年以上，論極帖以賜，蓋因
辛夷花繁盛異常，得荷
天題，鶴亭為建連理堂以誌。逮其卒，花竟不作，自是作亦
不盛。道光壬寅，花復盛，適余至揚，阮雲臺先生邀
往觀。隨歷數帆亭，陟觀山臺，循廊讀安艤舟員外名岐，順天商籍，精鑒賞。所刻孫過庭書譜。忽見一木根塵封
蠹蝕，隱有字跡，先生曰：得勿流雲耶。憶昔盛時，鶴
亭購以千金，今若此乎。命左右拂而滌之以水，果

流雲也。大悦，即購回修整。於是冬署節性老人款

持以贈行。余載歸，置之半畝園，又鹽官安青居

森，四川，工畫，亦爲寫連理辛夷圖以贈。

滇軺日記圖書

卸肩集句

卸肩集句

古無催糚詩，有之，自唐始。續奩史載，宋紅杏尚書多内寵，每修史，選美婢秉燭立侍，謂之麗豎燭。遇有可意者，賜雲肩一襲，納之，夕賦詩催糚，謂之卸肩。又，天文志載，織女旁有小星三，厥名始影，主姬妾。先是，程佳夫人之卒也，僉謂内助無人，以續絃勸，余不可。長女妙蓮保屢請納姬，余笑而却之。女隨訪得揚州女子陳蕙英，倩胡智珠女史（名相端，順天人。）授以琴，甫逾月，即能鼓流水、高山等曲。乃於壬寅二月，飾以進，曰：兒等祥琴已御，老父左右無人，此女慧，堪代侍。余不忍重違其意，細詢里居，知為新安洪氏，醝商失業，自諱巨族，爰命復姓，易英為卿，字曰友蘭，擇吉上巳納焉。即夕集古人詩為卿肩四截句，其詞曰：

重簾雙燕語沈沈，韓淲 幾陣東風晚又陰。吳文英 舊日愛花心未了，程垓 蕙風蘭思寄清琴。薛昭蘊

丰韻蕭疎玉一團，周文璞 五銖衣薄惹輕寒。韓渥 回思往事增惆悵，蔡伸 折得梅花獨自看。潘昉

往來相伴有娉婷，江旭 春色三停早二停。李肩吾 蜜炬垂花知夜久，賀鑄 一眉新月影三星。謝逸

玉簪犀壁醉芳辰，蘇軾 三月三日天氣新。杜甫 春思半和芳草嫩，和凝 鵲橋迎

路接天津。歐陽修

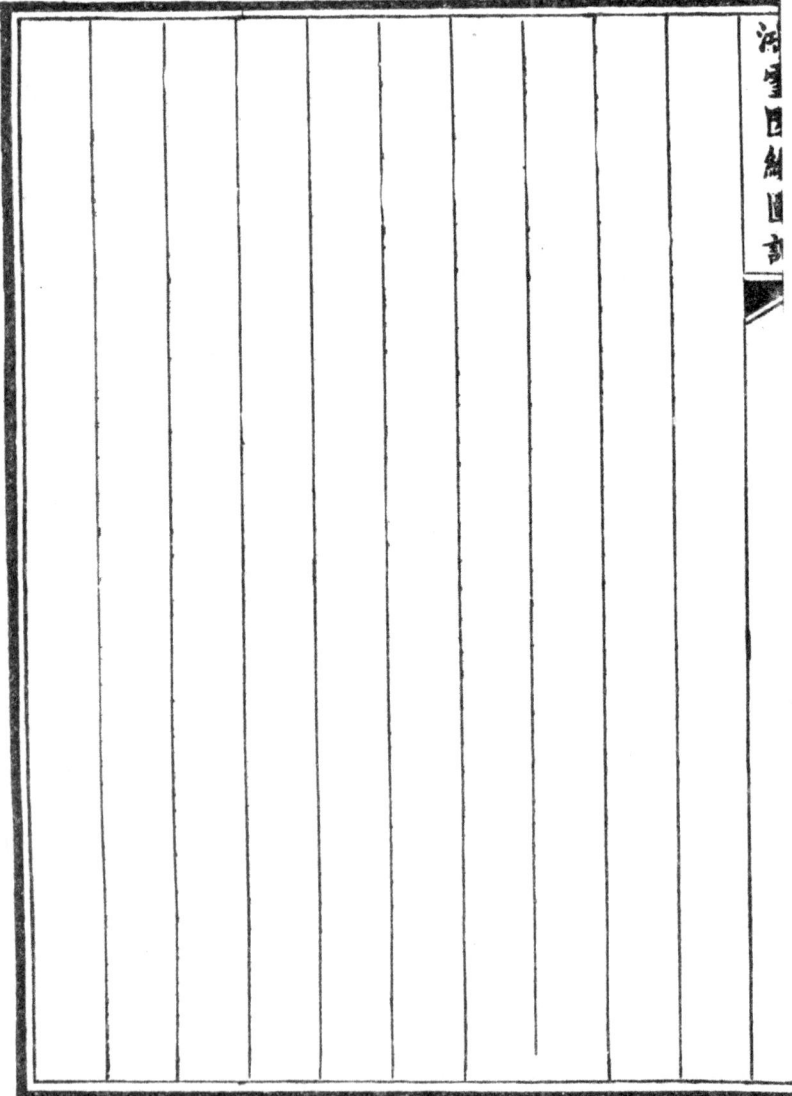

江北督師

江北督師

江北以揚州為門戶，其城北官河旁，有土阜隆起，為蜀岡。伏脈處，上有寺，俗稱小五臺。

聖祖南巡，賜名香阜。臨河建華表二，地衡而寬，後遂為排隊所。壬寅四月，余聞英逆在寧波府，索黃河及大江地圖。趕飭廟灣、佃湖二營，嚴防海口，即日赴揚巡河，並閱江防。揚糧二廳練勇同知鍾承露、通判雷體乾（山西，貢生。）即會綠營陳師香阜以迎。紀律整肅，較勝舊觀。隨晤但雲湖都轉，（名明倫，貴州，進士。）言由海入江之路，以鵞鼻嘴為扼要，圌山、象山為重門，曾稟請添兵設守，秦穉堂總鎮（名攀尊，時署狼山鎮。）亦以為言。五月，余返浦，聞英逆已臨浙江乍浦，將犯江南，急奏請在鵞鼻嘴設防。乃六月七日甫奉會議之旨，而英逆又連陷上海、寶山，提督陳忠愍公（名化成，福建行伍。）陣亡，勢益猖獗，已於四日突過鵞鼻嘴。初十，攻瓜洲。十一，犯儀徵。幸但雲湖偕晏曉谷、陳登之（名延恩，江西，貢生。）鄭荔香、（名士彥，浙江人。）彭雪嵋、（名以竺，山東，進士。）宋敬齋等預防，未得逞。詎十四，鎮江失守矣。適余先遣弁哨探，即飛飭守備黃佩、師長鏕，（陝西人）採木扎筏，如有火輪船闖入，即用存工料物，乘夜火攻。守備安振

業丹徒人收買竹頭木屑，以滯其輪。參將呂邦治啟壩放水，以膠其舟。尋有
旨，命麟慶防堵江北。謹密陳清江浦五方雜處，無城有庫，今兩淮又移解運庫銀一百三十萬暫行收貯，深慮慢藏，刻不可離。揚州為財賦要區，但明倫熟悉情形，商民愛戴，請責專防。得
旨允行，並
欽加但明倫按察使銜，而以麟慶督其成焉。

測量全義圖書

汎舟安内

汎舟安内

初，江北之聞夷警也，紳商多挈眷遷徙來浦，土匪因之搶掠。有巨魁陳三虎者，要盟祭刀，强刦勒贖，拒捕傷差，有司畏事多諱。余以為攘外必先安内，乃懸重賞，遴幹弁，緝得黨羽二十餘人，外委徐魁林捡陳三虎以獻，將盡置諸法。或以河院旗牌二百年未用為言，余謂應用即用，迺恭請

王命，立斬陳三虎、陳五虎、闞標以狥，餘亦問斬、絞、軍、流有差。又有費九者，乘夜放火，藉肆搶竊。余在火場捕得、訊實，即暴烈日中斃之。時遷來人衆食指日

繁。高寶奸民遏糴，清江市儈居奇，糧價騰踴，幾至斗米千錢。余捐銀一萬五千兩，委守備黃佩、陳燿高郵人分赴湖西下河，放價採買，水陸並運，晝夜不停。在清江牐南北岸設局二，一、永平，檄縣丞范驤廣東人司之。一、永豐，未入張埰順天人司之。悉照市價平糶，民賴以安。隨設防堵總局，偕趙蘭友名廷熙，奉天進士。恩楚湘、名齡，滿洲人。沈敦田名鎬，浙江人。三觀察，倡捐銀一萬三千兩，又勸捐輸，幸官紳踴躍，共得三十餘萬。且爭請製械募勇，收買抬鎗。事竣，均為奏敘。旋總兵官都勒豐阿、滿洲人。順保漢軍，廕生。各奉旨帶兵赴浦，聽候調遣，即飭先往揚州分駐守禦。

上又命署太常寺少卿李湘棻（字雲舫，山東，進士，今官漕督。）會督防堵。尋夷船赴省，但雲湖委員收撫瓜洲，比雲舫抵浦，省城業定撫議，乃商緩進，調集兵勇，逐日操演火器。八月十三合閱，雲舫指示步伐，並試自粵攜來銅礮五尊，聲容甚壯。逮九月初一，夷船全退出江，淮揚一帶，始解嚴焉。

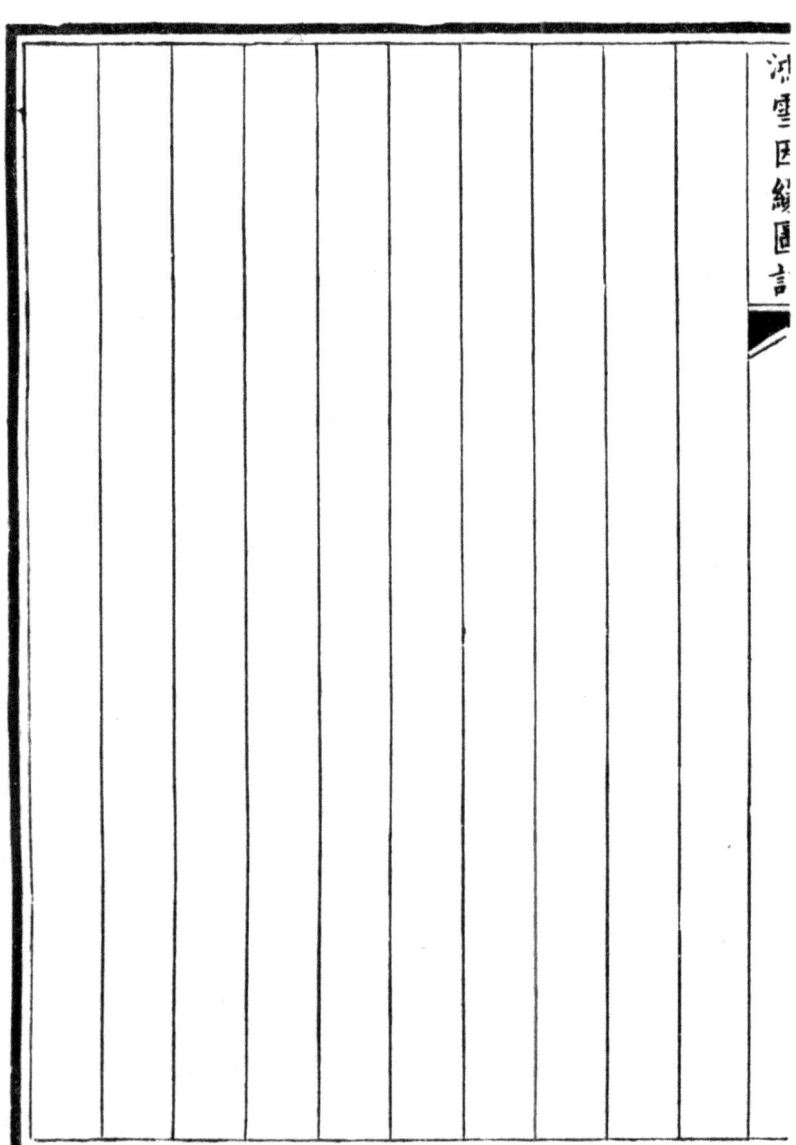

中河移塘

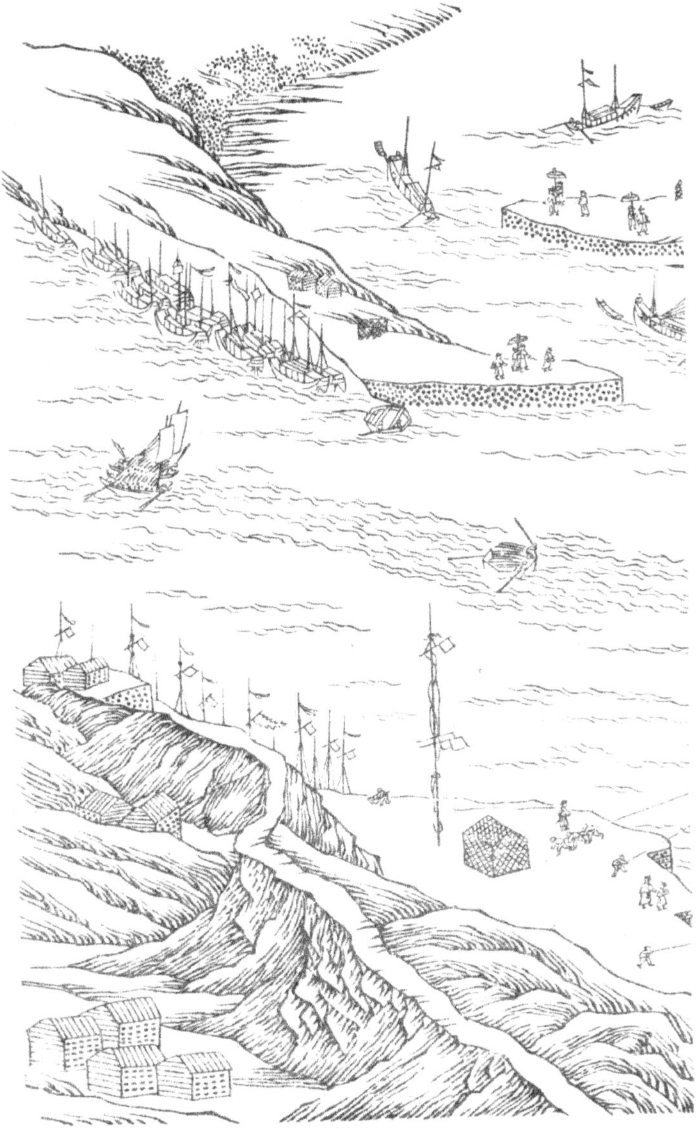

中河移塘

中河在黃河北，靳文襄公開以通運道。道光七年，因黃高於清，南岸改灌塘濟運，北岸仍循托清蓋黃舊制。其中河楊莊頭、二、三壩，則視來源強弱為啟閉。余在任九年，空重無誤。壬寅七月十七日，桃北廳崔鎮汛楊工，上下漫溢。聞報馳往，上首挂淤，下首蕭莊奪溜，水注六塘河歸海，漫口已刷寬一百九十餘丈，搶堵不及。當委巡捕官孫旅（浙江，監生，今官知縣。）即盤裹頭，余仍馳回防堵在江英夷，急籌回空運道。時中河受淤，往來相度，忽舟忽輿，忽躑躅泥淖間，遇水淺不勝舟，泥滑不勝履處，即易小輿，命左右擁以手。逡巡至中流，忽水深過從者腹，又遣弁泅探而進，豫計水方土方。隨博採衆議，或請借黃，或請轉尖，或謂另開支河，繞湖東行，或謂宜由鹽河上挽外出。余定用參將盧永盛、守備吳泰清河人議，於河西仿外北築托蓋等壩，河東仿外南挑塘建牐。又用遊擊季承章清河人千總蔡觀賢山陽人議，在舊河身內橫築攔壩，逼湖水入中河。仍虞水少，乃籌定剷堤放舊河積水，以資接濟。親督興辦，閱月工竣，空運幸無阻滯。隨又籌堵合費繁撥款匪易，集夫購料，時勢未宜。若乘機改道，似亦變通一法。特黃流能否暢達，兩岸如何修守，鹽法、水利有無妨礙，蕩柴、票鹽如何出運，關係緊要，不敢輕率，
奏請大臣按臨勘定。適先有
旨，命尚書敬徵、宗室，今官大學士。廖鴻荃來工，會麟慶悉心籌度。嗣又有勿庸會議之
旨。尋星使奏，以堵為正，請緩一年，責麟慶仍督辦重運，
報可。

竹舫息影

竹舫息影

竹雨舫，在清江浦倉門口寓館。舫額，新帥潘芸閣前輩（名錫恩，安徽，進士。）官淮揚道時所書也。壬寅十一月十三日，接淮部文，初六日奉

上諭：本年七月，南河桃北崔鎮汛漫決，該河督麟慶未能先事豫防，本應照上年東河成案，枷號治罪，姑念該河督趕辦灌塘，回空無誤，且夏秋間辦理防堵，事尚妥當，罪不掩功，麟慶著革職，加恩免其枷號發遣。等因，欽此。遵於十九日送印，交周敬修漕帥（名天爵，山東，進士。）接署。時竹雨舫屬陳秋霞司馬（名韶，四川，舉人。）願讓

余居，乃於二十八日移寓。敬修知余在任力疾辦公，患脇痛等症，代請春融回都。得旨，依議。方余之辭署也，別清晏園以詩曰：為辭傳舍拜花神，又向西園步一巡。清晏有圖仍屬我，韶華隨運自成春。詩吟紅豆今多暇，夢醒黃粱莫當真。聖主恩深容置散，還鄉好作太平民。移寓後，養疴習靜，乃彙十年來書院課藝，覆加評閱，囑金杏林別駕名煐，直隸，舉人。選定，劉蘅洲太史名澇，河南，進士。孫小槎司馬名鑾，直隸，進士。校讐，付梓。一日大雪，坐竹雨舫，枝枝如畫，葉葉有聲，覺竹之奇怪不如石，綽約不如花，而子子然有似孤特之士，不可以諧於俗，得雪愈見鮮潔。時有小鳥飛鳴其間，飲啄自如，詢名雪婆婆，爰呼童婢掃雪烹茶，又覺能韻雪之勝者茗，能發茗之嫩者雪，無責於身，無憂於心，此境正不易得也。

袁浦留帆

袁浦留帆

清江浦一名袁浦，以三國時袁術駐兵得名。濵臨淮黄，衝當水陸，雖無城郭，實南北咽喉要地，且有運河環繞其西北隅。街口有樓，樓西高阜，舊奉
北極，後建
禹王臺於上。迤西有宮曰靈慈，俗稱鐵樹。有祠曰二公，祀前明陳公瑄、潘公季馴。北岸有祠曰四公，祀
國朝靳文襄公輔、齊慤勤公蘇勒、嵇文敏公曾筠、高文定公斌，皆官河督，有功德於民者。癸卯三月，余行有期矣，士民呈請迂道，東過清江牐，北出十里

長街。十一日起行，列肆居民，各於門首焚香羅拜，倍增感愧。過四公祠西，校官張煥字斗垣，安徽舉人。等率書院肄業生設席相餞，呈袁浦留帆詩文一卷，得二百零五首。圖為楊生逢辰清河生員。作，比登舟，黃蔭亭司馬名世恩，浙江人。又彙官紳所贈詩文一百八十四首，畫三十八幀為六册，亦題曰袁浦留帆。余受而謝之以詩曰：十載袁江久宦遊，慚無政術奠黃流。北行實對斯民愧，南顧難紓

聖主憂。紅樹春風人卧轍，綠波新漲我歸舟。畫圖詩卷頻投贈，無限深情那得酬。歸舟靜閱，山水如嚴雨

生，名鄂，浙江，諸生。王丹麓，名承楓，河南，諸生。陳筠溪，名瓔，江蘇，布衣。花卉如朱菊農，名承爵，江蘇，諸生。周春谷，名壽康，江蘇，布衣。汪笠帆，名鏞，順天，職員。各臻妙境。文以譚桐舫，名祖同，江西，舉人，官同知。金瀛仙，名安瀾，浙江，進士，官同知。胡梓農，名克敬，山陽，廩貢。為最。詩以沈香泉，名樹基，浙江，諸生，官通判。許石華，名喬林，海州，進士。朱楚卿，名寶善，清河，廩生。為優。此外如盧配生參戎名永盛之武夫不解歌霖雨，也學蒼生望謝安。胡智珠女史之知公心比中天月，常向袁江北岸懸，尤覺清逸。又，于湘山司馬名昌進，山東，副榜。贈琴一，談都閫名文貴贈鶴一，許定生女史為繪琴鶴朝天圖，余均何幸而得之。

洄雪医綫圖訣

微湖說迦

微湖說泇

微山湖，周一百八十餘里，居滕、嶧、徐、沛之中，爲濟運水櫃。緣江南運道，自皂河以上，無水接濟。山東自臺莊至韓莊中設八牐，地勢建瓴，全用東西兩泇水。顧泇水常弱，專仰湖水挹注，漕始暢行。湖口有牐二，金門寬各二丈餘，舊制收水以一丈爲度，今添四尺，以時啟閉。又滾壩長三十丈，中砌石垛十四，上搭浮梁以通牽挽，均隸泇河廳。按東泇源發費縣箕山，西泇出嶧縣抱犢山，東南流至三合邨，與東泇合。又南流至邳州入運，謂之泇口。攷明初運道由清口入黃，逆溯至徐州呂梁洪，然後由鎮口入微山湖，濤洶石險。萬歷間，總河舒應龍（廣西，進士。）挑中心溝，通彭湖水道，而泇口始開。其後劉東星（山西，進士。）鑿韓莊故道，由黃泥灣至宿遷，而泇脈始通。嗣李化龍（直隸，進士。）開李港以避險，鑿郗山以展渠，設八牐以興利，而泇運始行。癸卯三月，余隨首幫灌塘渡黃後，知重運無慮，乃先行，於四月朔，泊萬年牐，謁三公祠，讀漕帥楊懿勤公（名錫紱，江西，進士，乾隆間任，卒後沿河祠祀。）碑，而益嘆當日言事者好以口舌持短長，以故開泇之議屢行屢止，幸三公前後相繼，殫心國事，卒得通運安流。故論濟寧以南運道治績，莫隆於開泇也。越日，舟抵湖口，時張心階觀察罷職家居，自徐趕來相送。楊至堂觀察、名以增，山東，進士。陳子寬太守名同哲，江蘇，諸生。均遠道遣使餽贐。翌辰，登暖翠浮嵐閣，遙望煙波浩渺，浮三翠影，詢知左龜右黿，中即微山，其上有殷微子墓，故名。

河重臣總匯言

分水觀汶

分水觀汶

分水口在汶上縣南旺集東，承汶水入運，分南北流。其西岸有禹王廟，廟前樓曰來汶，正對水口。樓右為分水龍王廟，前樹綽楔，額曰左右逢源。樓左為康惠公祠，祀明工部尚書宋禮，河南，廕生。雍正四年，

敕封寧漕公，并封老人白英為永濟之神，從祀。攷明永樂初，海運仍元時故道。裏河則由江浮淮入於河，直至河南陽武，發夫陸運，過衛輝府，由御河達於京。九年，以濟寧州同潘叔正言，命宋公督夫濬治。公

用老人白英計，審南旺為地脊，在戴村築𤫊瓏等壩，遏汶全流，使盡西入南旺，分其水三，南接徐呂，其七北會漳、衛。尋以微過罷職，卒於蜀。適陳恭襄公（名瑄，安徽人，封平江伯。）來，成功受賞。後四十年，尚書李鐩始臚公治績，諍於廷，而後祭葬贈謚，與恭襄埒。癸卯夏，余過祠下，登來汶樓，見舟楫往來，到此皆成下水，人人稱快。因思明初運道海險，陸費，耗財溺舟，歲以億萬計。自公創分此水，而漕渠通，海陸俱罷。我

朝因之，歲漕東南數百萬粟以實京師，藉此一綫，汶

流分濟南北，旱不至涸滯病漕，潦亦不至潰決病民，公之功，實偉矣哉。顧恭襄樹績於淮南，康惠開奇於汶上，治漕之功，未易軒輊。然公功非李尚書不彰，此又千古所以多耿恭、任尚之感也乎。時主僧福田，頗能述汶水源流，余舟中二客，雅善畫，亦賞之，賀君煥文（名世魁，順天人，充內廷畫館供奉。）為之寫照，陳君朗齋補圖，余製贊焉。

臨清社火

臨清社火

臨清州夙稱富庶，乾隆間，逆匪王倫作亂，始移建新城。其舊城外有塘，南北相距三百弓，明永樂時建牐二，一甎一版，後屢修葺，均易以石，而仍舊名為牐。河盡處出口即御河。其西南有汶、衛合流坊。攷衛即古大清河，蘇秦說趙東有清河。州名臨清以此。源出河南輝縣，合淦、洹、淇三水，至山東館陶，入會通河，即隋煬帝所開永濟渠也，故一名御河。顧衛水常弱，重船每患淺阻。得漳水而漕運暢行。攷漳源有二：一出山西長子為濁，一出樂平為清，

至河南而合。經臨漳縣又分為二：一北入滹沱，一東入衛，明萬歷二年，北徙入滏，而館陶流絕，越一百二十四載，於我

朝康熙三十六年六月，忽又南徙至館陶合衛，蓋

列聖敬天事神，感通呼吸，是以漳神顯靈效順。雍正間，

勅封福漕漳河之神，建廟版牐外東岸。牐內迤東有土阜，俗謂鼇頭磯，其上有亭曰畫眉，有閣曰名靈。又距塘左右數里，有大寺四，均為

泰山聖母行宮。相傳四月十八日為

碧霞元君聖誕，遠近數百里鄉民，爭來作社火會。百

貨具聚，百戲具陳，而獨脚高蹺尤為奇絕，蹬壜走索，舞獅耍熊，無不精妙。且鼓樂喧闐，燈火照耀，男婦宣揚，佛號聲聞徹夜。余適隨首進軍船銜尾北上，會貴薌蕣內兄自省來送，因泊塘口，得縱觀焉。

洞靈眞經圖註

津門

競渡

津門競渡

天津府，古渤海、漁陽二郡地。海在府東一百二十里。城北有三岔口，直通大海，即古津門。南則衛河，受南路之水，北則白河，受北路並會丁字沽三角淀之水，至此合流東注，舊名小直沽。其東南十里，地勢平衍，每遇霖潦水泛，茫無涯涘，曰大直沽。又東南流百餘里為大沽口，衆水由此入海，即通典所謂三會海口也。望海寺在三岔口西岸，迤北有望海樓九楹，崇閎壯麗，正對三岔口，乾隆、嘉慶間，屢經翠華臨幸。癸卯五月初四日，余過樓下，見龍舟旗幟翱翔，遊舫笙歌來往，雖稍遜吳楚之風華，而亦饒存競渡遺意。因思三閭大夫以讒被放，五日投汨羅江，至今羣爭弔輓，何忠愛之感人深耶。比過岔口，入上水，長年請泊。姬人洪友蘭適過船，奉蒲酒以進，並抱琴請鼓天問一闋，以寄遐思。又撥琵琶，請奏夕陽簫鼓一曲，以抒清興。余欣然，因作四截句曰：

龍舟齊趁午時開，喜見揚鬐掉尾來。望海樓前爭奪錦，是誰眞箇解憐才。其一

急管柔絃響碧紗，篷窗有客厭繁華。侍兒解識懷湘意，爲撫絲桐譜楚些。

其二輕攏漫撚韻泠泠，又撥紅牙倩我聽。道是夕陽簫鼓好，鳳簫羯鼓弔湘靈。其三香蒲角黍設當筵，兩月舟行路幾千。恰值津門觀競渡，畫橈停處郎因緣。其四

金鰲歸里

金鼇歸里

癸卯五月抵通，馳赴海淀內務府衙門報到。總管大臣敬達齋協揆（名徵）等，於十七日代奏，奉硃批：知道了，欽此。麟慶即驅車回里。兒輩請所向，命入城，進西安門，取道金鼇玉蝀橋。橋亘太液池上，兩端立坊楔，西曰金鼇，東曰玉蝀。橋下水門七，其中門磚嵌石額，銀潢作界。左右聯曰：玉宇瓊樓天上下，方壺員嶠水中央。池南為瀛臺，臺前有亭，宛在水中，竪太液秋風碣。橋北為闡福寺，寺前亭五，翼臨水上，中曰龍澤，左曰澄祥，曰滋香，右曰湧瑞，曰浮翠。俗呼五龍亭。橋之西，紅牆夾道，兩門相對，南為福華，北為陽澤。橋之東有崇臺，就臺基為圓城，兩掖有門，中建

承光殿，本元儀天殿舊址，俗呼團殿。旁有古栝，蒼翠奇秀，出睥睨上。相傳金章宗偕李宸妃坐此待月，章宗以二人土上坐屬對，妃應曰，一月日邊明。故

高宗聖製古栝行有：五鬣為松三鬣栝，名雖稍異皆其儕。又徙聞金元飾棟宇，兩人並坐傳齊諧云。圓城北為瓊華島，石皆艮嶽移來。島上廣寒殿，即李宸妃糚臺，後廢。東麓有亭，豎瓊島春陰碣。

國朝順治八年，就山頂建白塔，樹刹竿，藏信礮。

高宗有聖製塔山四面記，勒石幢漪瀾亭中。麟慶前直史館，曾分校宮史西苑一門，每讀前輩應

制諸作，時懷欽慕，占一律曰：歸里重乘薄笨車，金鼇玉蝀趁朝霞。綠濃瓊島糚臺樹，紅指瀛洲水殿花。幾輩文章留内苑，前番冠蓋説東華。而今幸作閒鷗鷺，

沐浴

恩波許到家。

測量法義卷上

半畝營園

半畝營園

半畝園，在京都

紫禁城外東北隅，弓弦胡同内，延禧觀對過。園本賈膠侯中丞（名漢復，漢軍人。）宅，李笠翁（名漁，浙江，布衣。）客賈幕時，爲葺斯園，壘石成山，引水作沼，平臺曲室，奥如曠如。易主後，漸就荒落。乾隆初，楊靜菴員外（山西生員。）重爲修整。顧子若孫專務持籌，遂改爲屯積所。旋歸春馥園觀察（名慶，滿洲人。）又改歌舞場，均園林之一變也。道光辛丑，始歸於余。命大兒崇實，倩良工修復，繪圖盪樣，郵寄江南。因定正堂名曰雲蔭，其旁軒曰拜石，廊曰曝畫，閣曰近光，齋曰退思，亭曰賞春，室曰凝香。此外有娜嬛妙境、海棠吟社、玲瓏池館、瀟湘小影、雲容石態、罨秀山房諸額，均倩師友書之，隨自撰雲蔭堂楹帖曰：源溯白山，幸相承七葉金貂，那敢問清風明月；居鄰紫禁，好位置廿年琴鶴，願常依舜日堯天。又在揚購得棕竹楹帖，係梁階平相國（名國治，浙江，狀元。）書，曰：文酒聚三楹，晤對間今今古古，煙霞藏十笏，卧遊邊水水山山。句奇而法，與園景合，因同懸之。憶昔嘉慶辛未，余曾小飲南城芥子園（在韓家潭）中，園主章翁言，石為笠翁點綴，當國初鼎盛時，王侯邸第連雲，競侈締造，爭延翁為座上客，以疊石名於時。內城有半畝園二，皆出翁手，余聞而神往。計自辛未至辛丑，凡三十年，園歸於余。以少年企慕所不可必得者，而竟得之，且幾兆於三十年前，事成於三十年後，而修復工作竣於癸卯四月，余到以五月，因緣天成，何其幸也。

雙仙賀厦

雙仙賀廈

太常仙蝶與余有夙契，詳前集仙蝶證緣記中。宦轍所至，每相過從，然祇見其一，未見其二也。嗣讀英煦齋師相恩福堂筆記載，先文莊公（名德保，滿洲進士，官尚書。）薨時，仙蝶雙飛至家相弔，余始聞有二，仍祇見其一也。歲乙未，陳北溟（名大鯤，順天，貢生，官通判。）過浦，言曩客金蘭畦尚書（名光悌，安徽，進士。）宅，親見雙蝶飛集花下，延朱素人（名本，江蘇，布衣。）貌為圖，翁覃溪先生（名方綱，順天，進士，官內閣學士。）篆太常仙蝶四字，並題長歌，一時名公鉅卿，爭相屬和，今此卷不知尚在人間否。尋王西舶同年年，名兆琛，山東，進士，今官布政使。督運過浦，談及之。適卷藏篋中，即出以贈，謹賦詩相謝。然畫中有二，目中仍祇見其一也。越四載，己亥，余偕內子憑欄看花，雙蝶忽翩然來儀。內子敬獻雙爵，蝶一大一小，黑質黄章，金目四足，各集一爵，伸鬚吸飲。眷屬聚觀，咸誇眼福，余至是始得見其二矣。嗣後仍祇見其一。癸卯五月十有七日，余初登新宅福壽廳小坐，即至

奎樓拜星，五福堂恭拜

祖杆。福壽、五福二額，皆歷年所受

御書也。忽僮報仙蝶現來半畝園，倒綴退思齋石洞口。

正擬往觀，蝶已飛來，急承之以掌。時老奴抱同孫隨行，命之學拜。又一蝶來，盤旋對舞，若相賀者，愈起愈高，仍過西園而去。爰紀以詩曰：蘧蘧栩栩復翩翩，載詠南華第二篇。顧我蝸居容嘯傲，感君燕賀倍纏綿。惜無內子酬雙爵，喜有童孫拜兩仙。拂柳穿花翔且集，忽來忽去總因緣。

測圜密率卷三

賜塋來象

賜塋來象

賜塋在安定門外三里許，黃寺羊店之西。麟慶七世祖諱達齊哈，官鑲黃旗滿洲佐領，管礮營，從龍入關，以第五子綏哈陣亡，予世職。公卒，賜祭葬，塋地安中垣正穴，東垣歸長房。西垣正穴為麟慶六世祖海龍公，諱阿什坦，順治壬辰首科進士，官刑科給事中，以不附鼇拜，抗疏被抑，入國史儒林傳。其穆穴為麟慶五世祖存齋公，諱和素，官內閣侍讀學士，聖祖御試，清文第一，

賜巴克式號，充
武英殿繙書房總管，
皇子師。工琴，著有太古元音琴譜，採入四庫。又下穆
穴東向者為麟慶
高祖鄭仙公，諱白衣保，康熙乙酉副榜，官御史。餘俱
旁支。垣前立墓道碑二，桐城張文端公（名英）方靈皐
先生（名苞）撰文，墓門懸完顏世兆額，靜海勵衣園先
生（名宗萬）所書也。門前旗杆二，為麟慶　叔高祖松
裔公立，公諱留保，康熙辛丑庶吉士，官吏戶禮工
四部侍郎，翰林院掌院學士，軍機處行走，充乾隆

乙未會試總裁。門右有井，極清。門左望寶塔梵宮，金碧輝映，則東西兩黃寺。東寺係

敕就普靜禪林，於順治初修復。西寺雍正元年

敕建，賜彙宗梵宇額。迤西爲班禪額爾德尼塔，

賜名清淨化城，乾隆間建。又西北資福院，爲外藩祝

釐所，寺前橋四井三，一井尤甘。時值

北郊前期，象奴輒導象來飲。象性馴警，每朝會，一聞靜鞭聲，馱寶駕輦，翼侍仗前，令人生肅敬心。癸卯五月，余率少子、童孫叩謁

祖塋，適遇二象來，族衆以爲吉兆，謹繪圖以誌。再，京

師墓門例不准用鴟吻，先塋獨有，相傳為
世宗特賜，以
存齋公授書，故今土人仍稱獸頭墳云。

仙橋敷土

仙橋數土

酒仙橋在東直門外東北十三里，過橋里許，麟慶

先塋在焉。一垣五穴，癸山丁向，正穴為

曾祖考勉齋公，諱期成額，官兵部侍郎，總理欽天監

事。以撫定葉爾羌功，賞花翎，授參贊大臣。

曾祖妣舒穆魯、戴佳兩夫人合葬。其昭穴為

祖考曉巖公，諱完顏岱，官河南布政使，以剿辦教匪

功，賞花翎，尋卒於防江營次，

恩予贈銜、祭葬、蔭卹，入

國史功臣傳。

祖妣索綽羅夫人、
生祖妣陸恭人，均合葬。又次為
先考曙墀公，諱廷鏴，官山東泰安府知府，署督糧道。
先妣惲夫人合葬。穆穴二，則麟慶 叔祖逋庵公，諱
完顏泰， 先叔石屏公，諱廷鈞也。相傳
勉齋公卜吉時，諸地師咸謂穴在東南，獨月山上人
萬善寺僧指穴在此，言開壙三尺見砂及水，再下三尺
見土，三十年後，砂礓全變黃土，明德之裔，必有達
人掘驗，果然，遂用之。逮嘉慶庚午，
曾祖妣戴佳太夫人入祔時，砂果變土矣。道光癸未、

癸巳，麟慶奉安

先考妣事畢，作宦江南，今十載矣，始得重來敷土，慨聞慢見，悲愴罔極。告退後過酒仙橋，憶曾遇瑞文培齋（名生，滿洲，舉人，官四川道）於此，出對曰：跨鶴酒仙應入座。余適見一人策蹇來，因對曰：騎驢詩客或題橋。近視之，高蘭墅也，相與大笑。今均宿草離離矣。因書楹帖，懸以誌感。又記曾遇左翼部落進明駝過此，肉峯峻聳，茸毛鮮潔，因並圖之。

架松卜吉

架松卜吉

架松在廣渠門（俗名沙窩門。）外東南三里許，武肅親王塋內。王諱豪格，以討平逆賊張獻忠功封親王，世襲罔替。比薨，

世祖御製祭文，立碑享殿前。旁有巨松六，蟠若游龍。其左第一株，鳳梢翠聳，虬枝夭矯，蔭廣盈畝，向藉朱柱搘撑，枝數已得九十有七，眞奇觀也。塋北里許，為戴師木（名澤同，河南，貢生。）代余新卜壙穴。初官豫臬時，薦師木於楊海梁中丞，奏請委員，資送入都，相度

萬年吉地，稱

旨，賞六品銜，以知縣用。師木感薦舉意，常言願得一佳城奉報。嗣函寄地圖三，據云：一富，一貴，茲最秀。西南望見城內法藏寺塔，北地多風，塔皆實，此獨中空可登，為文筆，他年東南望，若見架松頂，必出鼎甲，請以斯言為券。余聞而願安於此，囑即購地定向。會師木卒，不果。歲辛丑，命大兒崇實、長女妙蓮保扶內子程佳夫人櫬入都，倩杜梅庵（名魁百，直隸人。）相定，仍用癸山丁向。迎前瓜爾佳書、書覺羅二夫人櫬於酒仙橋厝舍，安窀穸焉。崇實乃建丙舍，開月河，培土山，植垣樹。癸卯五月，余閱生壙，得二律曰：

地師幾度費經營，兒女先來幸卜成。鳳起敢希開鼎甲，牛眠或者是佳城。英雄事業天涯蹟，眷屬團圓地下情。東望蟠松青鬱鬱，蒼龍秀氣接蓬瀛。其一

綽楔居然表墓門，到門相對已忘言。青圍丙舍培新樹，綠漲丁溪驗舊痕。佛法拈花誰證果，人生落葉此歸根。他年我亦來高臥，愛護全憑子與孫。其二

皇明臣範匯言

詩龕敘姻

詩龕敘姻

詩龕，翁覃溪先生為法文時帆題。原在十剎海旁小西涯齋中，今移舊鼓樓街書室。余長壻來秀，字子俊，居之。子俊為時帆孫，桂一山子，一山與余世好，惜早逝。壬寅，余以長女歸子俊，兹迎謁於通州，始得見。到京後，往視其家，沿湖行，憶余童時曾侍先大夫訪時帆丈於詩龕，適遇吳穀人（名錫麒，浙江進士，官祭酒。）、王鐵夫（名芑孫，江蘇舉人，官教諭。）二先生，同遊十剎海蝦菜亭，今忽忽四十餘年矣。比抵新詩龕，又憶同一山觀瑛夢禪（名寶，滿洲諸生。）、羅兩峯（名聘，江蘇布衣。）二山人詩龕圖，並讀穀人先生記俞東躔贊，情致如昨。因問各卷尚在否，子俊檢呈。余嘉其能世守先澤也，隨錄鐵夫詩曰：詩龕却傍梵王宮，時有鐘聲度半空。君似挂單吾托鉢，一般無住水雲中。穀人詩曰：蹇驢來往熟詩龕，纔有煙波便可貪。鰕菜經營渾不易，留人此地夢江南。按：十刹海，古寺名，明萬歷時，僧徧融建。室三十餘間，相比如號舍，佛殿亦分一舍，在今龍華寺西，東向，以故法文詩云：梵宇儼號舍，而名十刹海。壇上石竹華，春風吹尚在。又，鰕菜亭在蓮花社西，明戴水部名大圓建，今廢。法文詩云：水光綠半城，花景紅一埭。徜徉此亭中，何必買鰕菜。偶一諷詠，別有風趣，余何幸以姻婭之誼，重邀翰墨之緣耶。時帆尚矣，子俊勉之。

戒臺玩松

戒臺玩松

戒臺在京師西馬鞍山萬壽寺內。寺建於唐武德時，名慧聚，明易今名。癸卯六月，賀煥文供奉邀偕陳朗齋赴晾經會，將行，福禹門同年（名申，滿洲人，戊辰同榜舉人，後成進士，官內閣學士。）贈日下舊聞備攷。初五出都，過盧溝橋，至灰廠，登獅子巖，十八折始見山門。入門，望千佛閣，丹影飛空，閣前數松，翠雲匝地。一松旁樹石碣，刊

高宗御製活動松詩。其本甚巨，偶搖一枝，全身俱動，不可思議。兩松一卧、一側，若龍相逐。北院又有九龍松，

鱗甲蜿蜒，霜皮半蜕。一枝名鳳凰窩，儼垂翠尾。入門為戒臺，坊額曰選佛場。臺在殿中，白石為之，崇階三墄，中擁蓮臺，設十大師座，四面皆列戒神，宏規麗構，天下所無。相傳遼普賢國師法均闢。明鷲頭禪師道孚始登臺說法。殿前遼金碑各一，明碑二，均紀行實。又前為波離殿，階下立石幢二，刻尊勝陀羅尼咒。再前，古塔二，規製巨麗，左普賢，右衣鉢，均道孚建。晚宿方丈，玩蓮花、鳳眼二松。初六早，觀晾經畢，由天橋登千佛閣，望渾河縈抱三面，形如玦。遥見一峯，如靈壁石。詢名極樂，遂肩輿往。至則見石刻三大字，曰靈鷲峯。下抵化陽洞，俗名麗涓旁立石塔，周雕佛相。俯視洞底，深如眢井。遊者或然炬入，有百千蝙蝠驚飛出洞，亦一奇觀。隨西過伏虎巖，探觀音洞，瞻鷲頭禪師塔，其餘金燈、孫臏、卧佛等洞，均以路險未往。回寺，詣洗心殿，揖圖裕軒、（名鞳布，滿洲人。）曹慕堂（名學閔，山西人。）二先生像，則俱翰林前輩，夙結山緣者也。尋方丈僧智天，獻青李，云康熙二十五年

聖祖臨幸，鄉民曾供御者。食之甘脆異常，歸而徵諸高江村詩集，信然。

測量巴縣圖書

猗玕流觴

猗玕流觴

流杯亭在潭柘寺內，乾隆間重修，

賜額曰猗玕清境。簷下琢石為渠，作蟠龍相對勢，引泉自東而西。余於壬午秋來遊，會有客，未登斯亭，隨瞻舍利塔、毘盧閣、楞嚴壇而返。按寺康熙間

賜名岫雲，其故實已詳前集潭柘尋秋記中。茲詢寺距戒臺二十里，初七日早，取道羅睺北嶺，俗呼羅鍋，不知此出梵典，為佛護法，身巨且長，嶺名取之。過嶺半，聞有筒兒窑在其旁，迂道往。至則見二洞竝列，啟戶諦視，一置風輪，一置石柵，遙望燈火閃爍，人

蠕蠕動，近始攀柵引煤，僅匍匐而出。頭插一燈，見風即滅。其人齒白唇紅，面目漆黑，相對啞然，代慚形穢，嘆惜久之。下嶺抵剛子澗，流泉幽修，又上高坡，處處泉漱石齒。沿坡數轉，仰見山門綽楔，

聖祖御書額曰翠嶂丹泉。入寺問紅木篋，龍子已去。觀三

聖殿旁，銀杏高十丈，眞千年物。旁生五株，均高數丈。寺僧指莊親王坊記相示。西詣觀音殿，瞻妙嚴公主拜甎，雙趺隱然，幾透甎背。相傳為元世祖女，惜元史公主表紀載寥落，名字不傳。又觀宗室永瓚偕夫人合繡楞嚴經全部。寺僧目為雌雄經，奇

妙品也。隨飯延清閣、憩猗玕亭，因寺禁酒，乃瀹菊茗，就石渠泛甌代觴，以償夙願。茗飲既輟，山情孔多，遂至歇心亭，踞石聽泉，琮琤如琴筑合奏。再上爲明姚少師廣孝淨室。少師以僧伽衣加朝服上，旁侍四童，病虎形容，猶堪彷彿。聞龍潭去此尚三里許，以日夕仍返戒臺。大抵戒臺之勝在松，潭柘之勝在泉，因成八絶句紀遊。泉耶，松耶，吾何幸耶。

洴澼百金之言

靈光指徑

靈光指徑

六月初七，夜坐戒臺方丈松抱槐、槐抱榆樹下，聽智天談五臺勝境。新蟾欲落，夜氣益清。又步至活動松下，徘徊不忍去。夜分始就寢。次日曉起，揖松行。渡渾河，天色濃陰，飛雨薄灑，似先為滌塵襟。豁麗矚者。東北望翠微山，新霽若沐，有塔凌霄矗立。憶嘉慶戊寅，曾至寺瞻明翠微公主墓，題詩曰：前朝三百寺，只剩大靈光。野徑盤陀入，巖花自在香。墓碑埋贔屭，殿瓦墜鴛鴦。無限滄桑感，空山下夕陽。今忽忽二十六年矣。行三十里，復至山麓，小憩四方臺。地名久聞阿鶴莊表叔名芳，滿洲，舉人，官通判。之母吳雅淑人隱居茲山，思拜謁而不識門徑，適遇雙鬟女，使指引，老僕應門，並詢知比鄰多石帆、名歡，滿洲，舉人，官按察使。鐵荔巖名林，滿洲，進士，官侍講。均宦成歸山者。隨尋徑入靈光寺。寺建於金大定間，原曰覺山，後改今名。塔計十層，八稜，俗稱畫像千佛塔。繞塔有鐵燈龕十六座。尋公主墓，不可得，問雛僧法華，始知已平為觀音殿。雖寺宇鼎新，而古蹟湮沒，山失主名，令人增滄桑之感。隨口占三絕句，曰：小坐肩輿緩緩歸，青山罨靄白雲飛。桑乾渡過饒清興，塔影分明峙翠微。其一 雨過沙平霽色新，到來祇見碧嶙峋。村頭喜遇雙丫女，指點山居說比鄰。其二 重尋石徑問靈光，露潤風薰草木香。公主佳城偏不見，漫將興廢感滄桑。其三

洴澼百絕圖言

秘魔三宿

秘魔三宿

秘魔崖在盧師山證果寺内西北，嘉慶戊寅秋，集堂妹壻偕怡亭、（名衍慶，漢軍，進士，官知縣。）實夫（名衍秀，官同知。）昆季，曾邀豫子瑜（名益，漢軍，進士，今官知府。）及余來遊香界寺，宿三山庵。三山者，翠微、平陂、盧師也。庵據其麓，望如鼎峙，故名。時證果寺已荒寂，乃循山澗，拾橡栗，遥望大石，如偃芝突出天半，會尋逕不可得而返。壬午再遊，寺已修葺。爰至崖下，瞻二童子侍師像，詳前集潭柘尋秋記中。兹因賀煥文與寺僧慧庵善，邀往投宿。至則琳宇鼎新，疎寮旁達。適慧庵朝普陀未回，其徒請息車馬，遂止宿焉。續前三作，紀之以詩曰：危崖高聳翠盤陀，有客相邀到秘魔。殿老潭空當日事，而今巍煥喜來過。其四。攷寺建於唐，名感應。明稱鎮海，天順元年易今名。崖原名尸陀林，通桑乾河。相傳隋仁壽間，師自江南棹一船來，止寓崖下，以道行馴大、小青龍，化二沙彌，肅侍巾瓶，奇致雷雨。唐天寶時，賜師號曰感應。宋封大青應濟侯，小青利澤侯。明進爵為王，建祠潭上，壁繪行雨故實。潭在寺門東，深不盈丈，廣六尺餘，僧指為青龍所蟄處，今寺尚有蛇出入無憚。土人呼為蛇菩薩，日下舊聞曾載之。初九早，余坐崖下習靜，陳朗齋亦攜筆硯，踞石寫山。蛇忽至，戲紀以詩，曰：一朵青芙蓉，中空如剖蚌。跏趺坐盧師，二童侍几杖。我今設蒲團，面山心自曠。有客倚石闌，妙寫煙霞狀。忽見蛇菩薩，彳亍覲壁上。或者大小青，歡喜來相望。

香界重遊

香界重遊

癸卯六月十日，余邀二客，重遊香界。早飯後，同乘筍輿由寺東覓徑北上，過洪福寺廢址，至絶頂，有橋橫兩山凹，石刻念佛二字，過橋即平坡，山高而不鋭，盤旋以登。至絶頂，有坊一，外額歡喜地，内額堅固林。過坊，觀音殿額曰諸法正觀，皆

高宗御書也。殿後有寶珠洞，洞石本黑白點滲之，珠名以此。入洞黝黑，晝不見人，中坐海岫禪師像，俗稱鬼王菩薩，與天台山魔王並稱，香火頗盛。余問原委，僧不能對。出奕醴泉侍郎（名澤，宗室，進士。）記相示，余喜得

見故友筆，且知師別號桂芳，在洞焚修，每夜誦經施食，四十年如一日，名聞京師。

聖祖名見，賜紫並賜詩，有：馴鴿簷前應受戒，游鱗花下亦參禪句。尋命住持聖感寺。寺在寶珠洞下里許，剏自唐，名平坡。明曰圓通，後改聖感。乾隆初，奉

勅重修，賜額香界。危甍接漢，邃宇藏雲，俯視昆明湖，玉泉，甕山，如在目睫。山右稍下為文昌閣，秀楚翹先生（名堃，滿洲，進士，官侍郎。）因夢剏建慧雲堂，康熙間陳姓夫婦亦感夢建。今聯龍泉庵為一，稱龍王堂。庵中松竹純綠，下蔭方池，朱魚吹藻，別有

幽趣。再下，過三山庵，仍回宿秘魔崖。爰續前作，各紀以詩，曰：

絕頂登臨好御風，橋橫念佛隔西東。鬼王妙衍瑜伽法，遺像長留寶洞中。其五

一轉平坡香界開，崔巍金碧起樓臺。紅塵十丈浮天外，山色湖光眼底來。其六

慧雲堂接文昌閣，夢裏因緣各有天。鑿得方池清且麗，松風竹月護龍泉。其七

澗分嶺複下平疇，庵結三山得趣幽。二十六年重到此，名山可識故人不。其八

五塔觀樂

五塔觀樂

五塔寺，即明真覺寺，在西直門外長河北岸。黃衣喇麻居之。又西三里許有萬壽寺，緇流居之。癸卯六月十一日，余辭翠微山，出杏子口，過藍靛廠，謁廣仁宮，即俗所稱西頂也。又東沿長河行，夾道垂楊，綠陰如幕。抵廣源閘，瞻萬壽寺，寺乾隆間為
孝聖太后祝釐建，重樓三閣，金碧交輝，八檜七松，蒼翠入古。殿後壘石象普陀、清涼、峨眉三山，實冠諸剎。東入五塔寺，觀金剛寶座，高五丈，藏級於壁，左右蝸旋以登。頂平為臺，列塔五，各高二丈許。中塔旁有

足跡，螺紋相抵，寶座及塔四面刻梵像、梵字、梵寶、梵華，陸離輝映，具足莊嚴。攷明永樂時，西竺僧班迪達貢印度金剛寶座，一臺五佛，詔封大國師，賜金印，建此寺居之。成化九年，詔準式以石為寶座佛塔，立碑座右。我

朝乾隆二十六年重修，易名大正覺寺。蒙古扎薩克汗、台吉、塔布囊及呼弼勒罕等，每於此祝釐。是日適逢演樂，其器有短角，名剛洞以人髀骨為之，吹作龍吟。又有長筒，名剛領以銅為之，呼成虎嘯。既而頭顱貯水，名攜布喇脂髓然燈，伐鼓撞鐘，聲震殿瓦。文

子（首座也）率法侶桃帽罽衣，膜拜梵誦，聲如潮湧，音中宮律，實具眞力量。爰紀以詩曰：鐃飛鼓震蒲牢吼，阿修羅遁夜叉走。龍吟虎嘯具神威，我佛如來開笑口。巍巍寶座矗金剛，浮圖離立分奇耦。漫言鉅製凖烏斯，漫言法力降魔母。黃教由來番蒙崇，

天朝藉示懷柔久。億萬斯年永祝

釐，嵩呼潮唄齊稽首。

淨業壽荷

淨業壽荷

淨業湖在德勝門西，即積水潭，以北岸淨業寺得名。其南岸土阜隆然，有華陀廟建於上，俗名高廟。面臨曲巷，背枕全湖，寺僧裕泉近於廟後購隙地，營廣榭，繚以短垣，洞啟北窗，城樓山寺，儼然圖畫。而薰風入戶，荷香襲人，尤宜於長夏。癸卯六月，那眉峯、（名峨，滿洲人，己巳同榜進士，官道員。）玉峯（名崐，眉峯弟，官監督。）昆季，李祝庵、（名三福，漢軍，舉人，官知縣。）恒信庵、（名棨，漢軍人，官織造。）鍾秀峯（名靈，漢軍人，官鹽政。）招余洗塵於此，作竟日歡。曉至，見接天蓮葉，向日荷花，鏡檻涵青，簾旌分綠，茶罷，沿堤緩步至匯

通祠。按祠明永樂時，少師姚廣孝、司禮監剛丙奉
詔建，原稱鎮水觀音庵。我
朝乾隆二十六年重修，改名匯通祠，
御書殿額曰潮音普覺。靜聽祠後水聲淙淙，恍然有悟。循
牆北轉，見立石高五尺許，層疊如雲，承以石盤，高
處鐫一雞、一獅，不可解。下坡置石螭一，迎水倒噴，
既翕復吐。對岸即水關，其水匯西山一畝、馬眼諸
泉，經高梁橋，穴城址而入，為都城水源來路。故立
關為之限，俗名鐵欞。牐則以牐口密置鐵欞，防人
出入，仍無礙於行水也。問米仲詔太僕漫園，劉百

世茂才鏡園，苗君穎太守湜園，均不可得。乃至淨業寺而返。列席浮尊，午飲殊適。是日為二十四，正荷花生日，因賦一律曰：朝衫脫卻得清閒，良友相邀到此間。一片湖光依北郭，十分爽氣借西山。同浮大白拚先醉，靜襲香紅儼閉關。好祝花中君子壽，稱觥相對共開顏。

石拜石拜

拜石拜石

半畝園以石勝，緣出李笠翁手，故名。廟西山石青，質薄多片，其礧砢黄而有致者，出永寧山，今封禁園中所存，尚康熙間物。余命崇實添覔佳石，購得一虎雙筍，頗具形似，終鮮縐、瘦、透之品，迺集舊存靈璧、英德、太湖、錦州諸盆玩，並滇黔硃砂、水銀、銅、鉛各礦石，羅列一軒，而嵌窗几。以文石架疊石經石刻，壁懸石笛石簫。軒前後凡六楹，後三楹一貯硯，一貯圖章，一鐫米元章洞天一品石論於版壁。前三楹一木假石高九尺，質像泡素，洞竅玲瓏。一星石，圍四尺，上勒晉卞忠貞公壺詩，成哲親王（諱永理）詒晉齋跋，色黑而黝，古光可鑑。一大理石屏，高七尺，九峯嶙峋，旁鐫阮雲臺先生點蒼山作，屏即先生所贈也。又插牌一，天然雲山，雲中一月，影圓而白，山頭有亭，四柱分明。承以檀座，座鐫吳匏庵、姜西溟跋，謂為山高月小，然是矣，而未盡亭之妙。蓋因緣在我，故畫仙特繪見亭耳，因名曰見亭石。照袍笏拜之，遂顏軒曰拜石，並題楹帖云：湖上笠翁，端推妙手；江頭米老，應是知音。會張詩舲方伯（名祥河，江蘇，進士，時由河南入覲。）來，入園小坐，賦贈

二律曰：天然小築在城闉，猿鳥騰歡赤舄還。舊蹟留題仍半畝，
恩光入望有三山。雲霞霽景藤蘿外，絲竹清音水石間。自昔風流容嘯傲，惜公能得幾時閒。（其一）黃塵九陌拂鞭行，一入松關眼忽明。敧笠肯為前徑導，倚闌應待好詩成。洞天品貴奇峯出，阿閣巢深小鳳鳴。白髮江南老賓客，梅花題字亦多情。（其二）時余輯半畝園帖，老友錢楳溪（年八十有六）寄跋識來，故云。尋張春嵐（名振，直隸職員。）來遊，為繪二十四景册，詩舲又各誌讚焉。

潛雪巨紙匯言